Trioblói

úrscéal don fhoghlaimeoir fásta

Colmán Ó Drisceoil

ff

Comhar Teoranta
5 Rae Mhuirfean, Baile Átha Cliath

Tá Comhar faoi chomaoin ag Bord na Leabhar Gaeilge as tacaíocht airgid a chur ar fáil le haghaidh foilsiú an leabhair seo.

Foilsithe ag Comhar Teoranta, 5 Rae Mhuirfean,
Baile Átha Cliath 2.

ISBN 095 26306-8-0

Leagan amach: Graftrónaic
Léaráid an chlúdaigh: Neil Breen
Clódóir: Johnswood Press

Caibidil a hAon

Is Garda í Carla de Londra. Bronagh is ainm dá hiníon. Tá sí scartha ó Matt, athair Bhronagh. Tá sí ag obair le Colm. Faigheann sí nóta ó Willie Braine.

Chuala Carla de Londra guth an léitheora nuachta ar Raidió a hAon. D'oscail sí a súile. Smaoinigh sí ar feadh nóiméid. Dé Luain. Seachtain eile ag tosú. D'éirigh sí amach as an leaba agus chuaigh sí isteach sa seomra folctha. Chuala sí a hiníon – Bronagh – ag bogadh sa seomra codlata eile. Bhí Bronagh á gléasadh féin agus popcheol le cloisteáil óna seomra.

Bhí Carla sásta agus í ag smaoineamh ar Bhronagh. Cailín maith ba ea í. Bhí sí sona. Bhí a múinteoir i Rang 4 ar scoil sásta léi. Bhí Carla bródúil aisti. Ansin smaoinigh sí ar Matt.

Scar sí féin agus Matt – athair Bhronagh – nuair nach raibh Bronagh ach dhá bhliain d'aois. Ba chuimhin léi go maith an lá a d'fhág Matt. Thit a saol as a chéile an lá sin. Bhí comharthaí feicthe aici roimhe sin ach níor lig sí di féin iad a léamh.

"Ní féidir liom fanacht anseo níos mó," ar seisean. "Níl mé i ngrá leat a thuilleadh. Má fhanaim anseo beidh fuath agam duit." Sin a dúirt sé. Díreach mar a léifeá in úrscéal éadrom!

Rinne siad socrú eatarthu féin maidir le Bronagh. Mhair sí le Carla ach théadh sí chuig Matt gach dara deireadh seachtaine. Ba mhaith le Matt Bronagh a fheiceáil níos minice ach ní raibh Carla sásta ligean dó. Chabhraigh Matt ó thaobh airgid chomh maith. Níor theip air riamh an méid a bhí socruithe acu a chur isteach ina cuntas bainc gach dara hAoine.

Chuaigh Carla isteach sa seomra folctha agus d'ullmhaigh sí í féin don lá. Nuair a tháinig sí amach bhí Bronagh ansin ag fanacht leis an seomra folctha a úsáid. "Ná bí i bhfad," arsa Carla léi. "Ní fada go mbeidh do bhricfeasta réidh agam thíos staighre."

Garda ba ea Carla. Bhí sí tar éis aistriú go Scuaid na Mórchoireanna[1] le déanaí. Uaireanta choimeád a cuid oibre ó bhaile í. Théadh Bronagh chuig teach Matt ar na hoícheanta seo chomh maith. Bhí sé seo ag tarlú minic go leor.

Bhí an chuma ar an scéal go raibh Bronagh tar éis glacadh le scaradh a tuismitheoirí. Níor chuir sé isteach uirthi. Ach bhí imní ar Carla go raibh dochar á dhéanamh. Níor lig sí di féin machnamh an-domhain a dhéanamh air seo.

Níor thóg sé i bhfad orthu bricfeasta a ithe. Ní bhíodh fonn cainte ar cheachtar acu riamh ar maidin. D'fhág Carla Bronagh ar scoil agus pháirceáil sí ansin ag an stáisiún DART. Thóg sí an traein go dtí an obair. Bhí sé seo níos tapúla ná tiomáint.

Isteach léi san oifig tríú hurlár i gCeanncheathrú[2] na nGardaí ar Shráid Fhearchair. Bhí Colm Ó Laoire istigh roimpi. Garda díograiseach ceanndána a bhí ann. Thosaigh siad ag obair le chéile ocht mí roimhe sin ar

---

1 *Serious Crimes Squad*
2 *Headquarters*

chásanna daoine a bhí 'ar iarraidh'. Cara dílis le Carla ba ea é faoin am seo. Ach ní bheadh sé ann i bhfad eile. Bhí na Scrúdaithe Sáirsint faighte aige trí mhí roimhe sin. D'inis sé do Carla go raibh sé ar intinn aige bogadh ar ais chuig Loch Garman lena bhean Fiona. Bhí iníon óg acu bhí sí mhí d'aois. Ella ba ainm di. Maidir le Colm ní raibh sé ach ag fanacht ar fholúntas[3] i stáisiún i Loch Garman.

"Aon scéal?" ar sise, mar a deireadh sí gach maidin.

"Níl, i ndáiríre," arsa Colm. "Conas a bhí an deireadh seachtaine agat?"

"Ó, ciúin, mar is gnách," a d'fhreagair sí.

"An leats a bhí Bronagh nó lena hathair?"

"Liomsa a bhí sí ach thóg Matt amach trathnóna Sathairn í chun seans a thabhairt dom dul chuig an Ionad Spóirt. Ní dhearna mé seisiún aclaíochta[4] le tamall."

"*Fair play* dó," arsa Colm.

Bhí Colm tar éis bualadh le Matt trí thimpiste dhá mhí roimhe sin. Bhí sé ag caint leis ar feadh leathuaire sular thuig sé gurb é athair iníon Carla é. Bhraith Colm gur fear ionraic[5] a bhí ann.

"Tá litir ansin ar do bhord duit," arsa Colm.

Litir a tugadh isteach de láimh a bhí ann. Níor aithin Carla an scríbhneoireacht ar an gclúdach. D'oscail sí í. Bhreathnaigh sí ar dtús ar an ainm ag bun na litreach – Willy Braine. Mionchoirpeach ba ea é a thug eolas di cúpla uair cheana faoi chásanna éagsúla ar mhaithe le héalú ó théarma sa phríosún. Scríofa sa pheannaireacht mhíneáta chéanna a bhí ar an gclúdach bhí – *Tá eolas agam faoi Eileen Sheils. Labhair liom.*

Striapach[6] ba ea Eileen Sheils. Chaith sí a saol ó bhí sí cúig bliana déag ar na sráideanna. Bhuail Carla léi cúpla

3 *vacancy*
4 *exercise session*
5 *honest*
6 *prostitute*

uair agus í ag obair ar chásanna éagsúla. Bhí Eileen Sheils ar iarraidh le cúig seachtaine anois. Ní raibh aon scéal faighte fúithi. Ba amhlaidh a brúdh doras a hárasáin isteach le fórsa. Cheap na Gardaí, mar sin, go raibh sí i dtrioblóid éigin. D'fhiosraigh Carla an cás. Ach go dtí seo ní raibh aon leid faighte aici faoin áit ina raibh sí. Níor chuir aon Gharda eile suim sa scéal. Ní raibh inti ach striapach.

Caibidil a Dó

Buaileann Carla le Willie Braine. Tugann sé eolas di faoi mhangairí drugaí agus faoi Eileen Sheils.

D'oscail Carla an doras i dteach tábhairne Longman's ar Shráid an Chaisleáin. Shiúil sí isteach. Ní raibh sé ina mheánlae fós. Bhí fear an bheáir gnóthach ag snasú[7] na mbord. Fuair Carla boladh tobac agus dí meascaithe le boladh *Jif*. Drochbholadh. Coirpigh lár na cathrach a bhíodh ag ól i Longman's. Ba cheart a bheith cúramach in áit mar seo.

Chonaic sí Willie ina shuí ag cúinne an bheáir. B'ait léi an áit ar phioc sé le casadh léi ann. Bhí súile agus cluasa ag na fallaí i Longman's. Shuigh sí ag an gcuntar taobh leis. Níor bhreathnaigh sé i gceart uirthi ach thug sracfhéachaint chliatháNach[8] mar a dhéanfadh an *mafioso* Iodálach sna scannáin. Thaitin scannáin den chineál sin le Willie. Ní raibh aon ghal ag éirí as an muga leathólta caife a bhí os comhair Willie.

"Dhá chaife, le do thoil?" ar sise le fear an bheáir.

"Cinnte, a stór," ar seisean. Chuimil sé a lámha leis an gceirt a bhí aige don snasú. "An ndéanfaidh *instant* an gnó? Níl an stuif ceart réidh fós."

Nuair a bhí dhá mhuga os a gcomhair lean fear an bheáir ar aghaidh ag snasú. Labhair Willie go ciúin gan a

7 polishing
8 sideways glance

cheann a chlaonadh ina treo. D'éist Carla go géar leis an méid a dúirt sé. Bhí sé ag caint faoi Larry Ryan, a bhí ina mhiondíoltóir drugaí[9] go dtí sin.

"Tá sé tar éis tar éis dul i mbun gnótha le hiarbhaill de ghrúpa paramíleatach[10] ó Bhéal Feirste. Tá an grúpa seo ag díol drugaí i mBéal Feirste cheana féin. Tá sé i gceist acu ceannas a bhaint amach ar ghnó na ndrugaí i mBaile Átha Cliath. Ta siad ag cur brú ar mhiondíoltóirí eile gnó a dhéanamh leo. Bhí 'drochthimpiste' ag cúpla duine nach raibh sásta gnó a dhéanamh leo.

"Ach anois tá siad ag ullmhú chun tabhairt faoi roinnt de na mangairí móra[11]. Fuair siad gunnaí ó stórais na bparamíleatach. Tá roinnt de na paramíleataigh dhíomhaoine 'fostaithe' acu. Is ag Larry Ryan atá an t-eolas áitiúil a bhí ag teastáil uathu."

Chuala Carla roinnt den scéal seo ó fhoinsí[12] eile cheana féin. Ní rún a bhí ann i measc na nGardaí.

"Inis rud éigin dom nach bhfuil ar eolas agam," ar sí gan breathnú air. Chonaic sí féin cúpla scannán faoin *mafia* chomh maith. "Níor luaigh tú ainm Eileen Sheils fós."

Chroith Willie é féin mar a bheadh cuileog ag cur as dó. Bhreathnaigh sé sna súile ar Carla anois.

"Tá ár margadh againn i gcónaí, an bhfuil?"

Bhí Carla tar éis breith ar Willie cheana agus earraí goidte[13] ina sheilbh. Ach scaoil sí saor é mar gur thug sé eolas di faoi choirpigh a bhí níos dainséirí ná é. Bhí sé ina fhoinse mhaith eolais. Ní raibh beirthe air le fada. Níor thuig Carla cén fáth a mbeadh 'margadh' á lorg aige.

"Thugamar aire duit cheana," ar sí.

Lean Willie ar aghaidh ag caint.

"Bhí Eileen Sheils ag obair ar na sráideanna do Larry

9 *smalltime drug dealer*
10 *gone into business with ex-members of a paramilitary group*
11 *preparing to tackle some of the major drug barons*
12 *sources*
13 *stolen goods*

Ryan. Ach bhí sí ag obair mar chúiréir[14] chomh maith. Bhailíodh sí beartanna i nGlaschú agus thugadh sí chuig Larry iad. An uair dheireanach a ndeachaigh sí go Glaschú fuair sí beart mór do Larry ach ní bhfuair Larry an beart riamh. Níl a fhios ag aon duine cá bhfuil sí. Níl Larry róshásta go bhfuil an beart caillte aige ach ní féidir leis ná lena chairde teacht uirthi in aon áit. Níl na hiarpharamíleataigh róshásta le Larry."

"Cén saghas stuif a bhí sa bheart seo?" arsa Carla.

"Hearóin!" arsa Willie. "Hearóin agus piollaí do na clubanna rince. Tá ceangal ag na paramíleataigh le roinnt mhaith de na clubanna damhsa, tá a fhios agat."

Bhrúigh fear éigin an doras agus tháinig sé isteach sa teach tábhairne. Bhreathnaigh Willie timpeall go neirbhíseach. Bhraith Carla trua dó.

"A Willie, nach bhfuil sé in am duit saol nua a thosú?" ar sí. "Ní bheadh aon fhadhb agat post ceart a fháil."

"Ceann de na laethanta seo, déanfaidh mé é sin," ar sé. "Aon lá anois! Tá an ceart agat. Tá sé in am dom athrú."

D'fhág Carla é agus a chaife os a chomhair, gan ól. Ní raibh Willie chun athrú. Is maith a thuig sí é sin.

14 *courier*

Caibidil a Trí

Cloiseann Carla nach bhfuil ag éirí go maith le Bronagh ar scoil. Déanann sí teagmháil le Douglas McCleish i nGlaschú.

D'fhill Carla ar an oifig. Bhí príomhoide scoil Bhronagh – Bean Uí Fhloinn – tar éis glaoch. Ba mhaith léi labhairt le Carla. Ní raibh aon ghá a bheith buartha. Ní raibh Bronagh gortaithe ná tinn. Bhraith Carla ualach cosúil le cloch ina bolg mar sin féin. Ghlaoigh sí ar an scoil. D'fhreagair Bean Uí Fhloinn an guthán.

"Ba mhaith liom féin agus leis an múinteoir ranga atá ag Bronagh bualadh leat go luath," ar sí. "Tá iompar Bhronagh imithe in olcas le cúpla mí anuas. Ba mhaith linn an scéal a phlé leat."

Rinne Carla socrú bualadh leo maidin Chéadaoin nuair a bheadh Bronagh á fágáil ar scoil aici.

Chuir Carla síos an guthán agus rinne sí machnamh ar an scéal. Bhí a hiníon ag fás, ag fás suas go tapaidh. Ní raibh aon rud mícheart tugtha faoi ndeara aici féin le tamall. An go mbíodh sí as baile rómhinic ag obair go déanach? Cad í an uair dheireanach a shuigh sí síos le Bronagh chun comhrá a dhéanamh léi? Shocraigh sí ina haigne labhairt le Bronagh nuair a bheadh an bheirt acu sa bhaile an oíche sin.

"Ar cheart dom cuireadh a thabhairt do Matt?" ar sí léi féin. "Níor cheart. Níl ann ach rud beag. Beidh mé féin ábalta déileáil leis."

Mhínigh Carla an méid a chuala sí ó Willie do Cholm. Chuir siad scéal amach féachaint an mbeadh tuairisc[15] nua ag aon cheann de na stáisiúin i lár na cathrach ar Larry Ryan. Labhair sí le Cigire Póilíneachta[16] – Douglas McCleish – i nGlaschú. D'inis sí an scéal ar fad dó agus sheol sí pictiúr de Eileen Sheils chuige ar an idirlíon[17]. Gheall sé go bhfiosródh sé an scéal. Bhí sé le glaoch ar ais an lá ina dhiaidh sin.

"Cén fáth ar phioc sé Longman's chun bualadh liom ann?" arsa Carla nuair a bhí an obair sin go léir déanta acu. "Is é sin an áit a n-ólann fir Larry Ryan."

"Is rud é sin nach dtuigim in aon chor," arsa Colm.

15 *report*
16 *Police Inspector*
17 *internet*

Caibidil a Ceathair

Níl Bronagh sásta labhairt faoi chúrsaí scoile.
Lorgaíonn Carla agus Colm eolas ar na sráideanna.
Filleann Carla abhaile go déanach.

Bhailigh Carla Bronagh ó theach Rita ar a sé a chlog. Bhí an t-ádh léi go raibh Rita aici chun aire a thabhairt do Bhronagh tar éis am scoile. Bhí iníon ag Rita a bhí ar comhaois le Bronagh. Bhí mac aici a bhí níos óige. Thaitin Bronagh le Rita agus thaitin an t-airgead breise léi chomh maith. 'Mo airgead póca' a thug sí air.

Bhíodar suite chun boird nuair a tháinig Carla isteach cúldhoras na cistine. Chonaic sí Bronagh ina suí sa seomra ag breathnú ar chlár nuachta ar an teilifís. Rinne sí cúpla nóiméad cainte le Rita agus ansin amach le Carla agus Bronagh chuig an ngluaisteán. Ní raibh teach Rita agus ach míle nó mar sin óna dteach féin. Bheartaigh[18] Carla gan scéal na scoile a ardú go dtí go mbeadh dinnéar acu agus iad socruithe síos.

Nuair a luaigh sí an glaoch gutháin le Bronagh tar eis an dinnéir dhiúltaigh Bronagh aon rud a rá.

"Níl a fhios agam." Sin a ndúirt sí faoi. "Anois, tá brón orm ach tá an clár is fearr liom ar siúl ar an teilifís. Caithfidh mé breathnú air."

18 *decided*

Bhí fonn ar Carla cosc a chur ar an teilifís ach thuig sí nach ndéanfadh sé sin aon mhaitheas. Ní dhearna sí aon iarracht eile labhairt le Bronagh an oíche sin.

Nuair a shroich sí a deasc oibre an mhaidin dár gcionn bhí teachtaireacht fágtha ag Douglas McCleish ó Ghlaschú. Chuir sí glaoch ar an uimhir a bhí fágtha aige. Ghabh sé buíochas léi as glaoch ar ais. Ní raibh aon trácht cloiste aige ar Eileen Sheils ach bhí eolas aige faoi mhangairí drugaí i nGlaschú. Chreid sé go raibh an dream seo ag cur roinnt den hearóin a bhí á tabhairt isteach acu ón Ísiltír ar aghaidh chuig Béal Feirste. Bhí cabhair á fáil acu ó iarpharamíleataigh. Bhí an nós céanna acu, is é sin striapaigh a bhí gafa[19] ag hearóin a úsáid chun na drugaí a iompar ó Amstardam agus ar aghaidh chuig Béal Feirste. Bhí beirt de na striapaigh seo imithe gan tásc ná tuairisc[20] le trí mhí anuas. N'fheadar an raibh ceangal idir an dá chás. Phléigh siad an scéal.

"Cuirfidh mé glaoch ort má chloisim aon rud suimiúil," arsa McCleish.

"Cad a bhí le rá aige?" arsa Colm nuair a chur Carla síos an guthán. Mhínigh sí cén t-eolas a bhí tugtha ag McCleish di.

"Caithfimid dul ag lorg eolais ar an tsráid, i measc na ndaoine a mbíodh Eileen ag obair leo," arsa Carla.

"Ní fiú tosú ar an obair sin go dtí go mbeidh sé dorcha," arsa Colm.

B'fhearr le Carla gan é sin a dhéanamh. Bhí sé i gceist aici labhairt le Bronagh arís maidir le ceist na scoile. "Labhróidh mé léi ar maidin," ar sí léi féin, "sula dtéim isteach sa scoil chun labhairt leis an múinteoir."

Chuir sí glaoch ar Matt.

19 *hooked*
20 *without a trace*

"An mbeidh tú in ann Bronagh a bhailiú ó theach Rita ar a sé a chlog? Beidh mé féin sa bhaile ar a naoi a chlog." Is maith a bhí a fhios aici go raibh Matt gafa le traenáil fhoireann peile faoi 21 gach Máirt óna seacht go dtí a naoi istoíche. Lig sí uirthi nach raibh a fhios aici.

"Cinnte, déanfaidh mé é sin," a dúirt sé.

Chaith Carla agus Colm dhá uair a chloig ar na sráideanna ag caint le striapaigh agus le mionchoirpigh[21]. Níor éirigh leo aon eolas breise a aimsiú.

"Seo," arsa Colm léi agus iad ag siúl thar Thábhairne an Pháláis, "beidh deoch thapaidh againn."

Bhí fonn ar Carla é a dhiúltú ach níor dhiúltaigh. D'ól sí pionta Heineken go tapaidh. Bhí sé déanach. D'imigh sí léi chuig an DART. Bhí sí ag fanacht ceathrú uaire le thraein. Agus í ag tiomáint abhaile ina gluaisteán féin bhí an trácht ag cur moill uirthi. Bhí oibreacha bóthair ar siúl istoíche chun brú tráchta an lae a sheachaint. Bhreathnaigh sí ar an gclog sa ghluaisteán. Chonaic sí go raibh sé leathuair tar éis a naoi anois. Smaoinigh sí ar Matt agus ar Bhronagh.

"Tá súil agam nach ligfidh sé Bronagh isteach sa teach léi féin," ar sise léi féin. "B'fhéidir go mbeidh siad ag feitheamh sa ghluaisteán. Beidh orm leithscéal a ghabháil. Taitneoidh sé sin le Matt."

Bhí sé fiche cúig chun a deich nuair a shroich sí an teach. Chonaic sí gluaisteán Matt páirceáilte lasmuigh agus solas ar siúl sa halla.

"Tá sé istigh ag breathnú ar an teilifís," ar sí léi féin. "Níl aon cheart aige a bheith istigh sa teach. Tuigeann sé é sin go maith. Sin é an socrú atá againn. Níl cead aige teacht laistigh den gheata fiú."

21 *minor criminals*

D'oscail sí an doras tosaigh agus 'Bailigh leat amach as seo' ar bharr a teanga aici. Ach ní raibh Matt ag breathnú ar an teilifís mar a raibh sí ag súil leis. Is amhlaidh a bhí Bronagh ina codladh ar an tolg agus Matt ina sheasamh i lár an urláir. Ní raibh a chóta bainte de fiú.

Ba léir go raibh sé ina sheasamh ansin ó shroich sé féin agus Bronagh an teach am éigin roimh a naoi. Thráigh[22] fearg Carla ar an toirt. Labhair Matt go ciúin.

"Ta brón orm. Tá a fhios agam nár cheart dom a bheith anseo ach bhí tuirse an domhain ar Bhronagh. Tá a cuid obair bhaile déanta. Shínigh mé a dialann scoile."

"Ó, tá sé sin ceart go leor, go raibh maith agat agus gabh mo leithscéal," arsa Carla. "Bhíomar gafa le cás, tá a fhios agat."

Bhraith Carla boladh an óil go láidir óna hanáil féin anois. D'iompaigh sí ó Matt.

"Tuigim, tuigim," arsa Matt agus é ag breathnú uirthi. "Ceart go leor, slán anois." D'imigh sé amach an doras go ciúin sula raibh seans aici aon rud eile a rá. Níor fhiafraigh sí de an raibh cupán tae uaidh. Bhí sé ródhéanach anois.

Ní raibh Carla láidir go leor le Bronagh a iompar in airde staighre chuig a seomra codlata. Ní raibh fonn ar bith uirthi í a dhúiseacht.

"Cén fáth nár iarr mé ar Matt í a thabhairt in airde staighre sular fhág sé?" ar sí léi féin.

Dhúisigh sí í. Bhí Bronagh cancrach[23] go maith ach d'éirigh le Carla í a chur in airde staighre agus isteach ina leaba féin. Agus Carla féin ag dul in airde staighre chuala sí gluaisteán Matt ag tosú agus ag imeacht leis.

---

22 *receded*
23 *cranky*

Caibidil a Cúig

Buaileann Carla le múinteoir Bhronagh. Faigheann striapach eile bás. Tugann Carla agus Colm cuairt ar árasán na striapaí mairbhe. Faigheann siad léasadh teanga ón gCeannfort Mac Mathúna.

Chaith Carla cúig nóiméad déag míchompordacha an mhaidin Chéadaoin sin ag caint le múinteoir Bhronagh. Tháinig an Príomhoide isteach ag deireadh an chruinnithe. "Nílimid sásta le hobair Bhronagh," ar sí. "Níl sí sásúil. Tá Bronagh éirithe trioblóideach sa rang agus níl sí cairdiúil leis na cailíní eile."

"Tá sí éirithe míchúramach lena hobair bhaile chomh maith," arsa an múinteoir. "Mar sin féin, bhí feabhas mór ar an obair aréir. Is é a hathair a shínigh an dialann scoile aréir, nach ea?"

Ní raibh Carla cinnte an raibh an múinteoir ag iarraidh rud éigin a chur in iúl go hindíreach. Má bhí, cad é a bhí á rá aici? Bhí fonn uirthi freagra a thabhairt ar na rudaí a bhí á rá ag an múinteoir. Ach níor thug. D'aontaigh[24] sí léi agus gheall go gcoimeádfadh sí súil níos géire ar Bhronagh sa bhaile.

Pháirceáil Carla ag an stáisiún DART arís. Chuaigh sí isteach chun na hoifige. Bhí Colm ann roimpi ar ndóigh. Ar an nuacht ar maidin chuala sí gur tháinig na Gardaí

24 *agreed*

ar chorp mná óige go déanach an oíche roimhe sin in árasán i Sráid Gardiner.

"Cérbh í an bhean i Sráid Gardiner?" a d'fhiafraigh sí de nuair a shiúil sí isteach.

"Sasanach mná nach raibh ann ach le dhá mhí, de réir dealraimh," a d'fhreagair Colm. "Deir na comharsana go mbíodh an-chuid 'cairde fear' aici."

Thuig Carla go maith. Striapach óg eile tugtha trasna ó Shasana ag *pimp* éigin chun freastal ar an éileamh a bhí ginte ag an Tíogar Ceilteach.

"Cad a tharla – custaiméir míshásta?" ar sí go soiniciúil. "Ní hea. Ceapann na hoifigigh a d'aimsigh í gur thóg sí ródháileog[25] hearóine. Beidh torthaí na dtástálacha ar fáil ón saotharlann[26] níos déanaí."

"Sin í an ceathrú striapach anois le cúpla mí a thóg ródháileog. Tá rud éigin as áit, a Choilm. Téanam ort[27]. Cuirfimid cúpla ceist ar na comharsana."

"Ní chuirfimid," arsa Colm go láidir. "Tá na Gardaí ó Sráid an Phiarsaigh ag déileáil leis seo. Tá a fhios agat nach maith leo éinne ón stáisiún seo a bheith ag teacht trasna orthu."

"Ó, téanam ort. Ní bheimid ach ag cur roinnt ceisteanna ar chúpla seanbhean. Ná déan rud mór as," arsa Carla.

Ghéill Colm di mar ba ghnách leis.

Bhí Garda óg nach raibh ach tar éis teacht ó Choláiste na nGardaí sa Teampall Mór ar dualgas taobh amuigh de dhoras an árasáin ar Shráid Gardiner. Nuair a chonaic sé cárta aitheantais Carla d'oscail sé an doras gan a thuilleadh ceisteanna a chur.

"An bhfuil tú as do mheabhair?" arsa Colm le Carla

25 *overdose*
26 *laboratory*
27 *come on*

nuair a bhíodar istigh san árasán. "Cheap mé nach rabhamar ach chun labhairt le roinnt comharsan. Nuair a chloiseann an cigire sin Dunphy i Sráid an Phiarsaigh go rabhamar anseo gan a chead déanfaidh sé gearán oifigiúil[28]."

"Á, ná bí buartha." arsa Carla. "Nílimid ach ag breathnú timpeall. Ní bheimid anseo i bhfad."

Bhí dea-chaoi ar an áit, é glan agus gach rud in ord agus in eagar. Chonaic siad roinnt irisí pornagrafaíochta le haghaidh na gcliant caite ar an mbord beag sa seomra cónaí. Chonaic siad an leaba chóirithe agus éadach leapa glan sa chófra te. Bhí rogha maith bia sa chuisneoir.

D'aimsigh Colm leabhar bainc. Léirigh an leabhar go raibh an bhean mharbh ag cur airgid i dtaisce go rialta.

"Níor thóg an bhean seo aon ródhaileog hearóine, nó má thóg ba trí thimpiste é," arsa Colm.

D'aontaigh Carla leis. "Feicfimid cén torthaí a thiocfaidh ar ais ó na tástálacha saotharlainne," ar sí.

Labhair siad le fear óg ón mBoisnia a bhí ina chónaí béal dorais. Ní raibh sé sásta aon rud a rá go dtí gur lorg Colm a víosa oibre[29] air. Thosaigh sé ag caint ansin. D'fheiceadh sé fir éagsúla ag dul isteach chuig an mbean i rith an tráthnóna agus i rith na hoíche. Ní bhíodh aon trioblóid ann. Mheas sé go mbíodh coinne déanta acu léi. Ní théadh sí amach ar na sráideanna ag lorg gnótha.

"Ar mo anam ní raibh mé féin léi," ar sé, "ach chabhraigh mé léi cófra trom a bhogadh uair amháin. Mar sin b'fhéidir go bhfuil lorg na méar agam ar an gcófra fós."

Rinne Colm gáire fonóideach[30]. Má bhí an fear ón mBoisnia réchúiseach ag tús an cheistiúcháin bhí sé ag

28 *official complaint*
29 *work visa*
30 *derisive*

cur allais ag a dheireadh.

Lig Carla agus Colm don Bhoisniach dul ar ais chuig a árasán féin. Dúirt siad leis go raibh seans ann gur mhaith leo labhairt leis arís. D'fhág siad slán ag an nGarda óg agus síos an staighre leo. Shroich siad an oifig tar éis greim bia a ithe ar an mbealach. Bhí torthaí an scrúdú iarbháis[31] ar fáil. Bhí rian láidir hearóine sa chorp.

"Féach!" arsa Carla le Colm. "Ní mharódh an leibhéal sin hearóine í. Bhí a sláinte go maith aici. Thug sí aire di féin."

"Tá an ceart agat," arsa Colm, "ach cén míniú atá agatsa ar an gcás mar sin?"

"Níl a fhios agam," ar sí. "Cuir glaoch ar do chara Brian sa saotharlann. Iarr air a thuilleadh tástálacha a dhéanamh ar na ceithre chorp a fuaireamar le dhá mhí anuas. B'fhéidir go bhfuil ceangal éigin eatarthu."

Bhuail guthán Choilm ag an bpointe sin. D'fhreagair sé é. Sula raibh 'Dia duit' amach as a bhéal chuala Carla an sruth garbh glórach cainte ón taobh eile. Chuir sé síos an guthán gan ach "'Is ea, anois," a rá. Bhreathnaigh sé ar Carla.

"B'shin an Ceannfort[32] Mac Mathúna. Tá sé ag iarraidh labhairt linn beirt, **anois**."

31 *postmortem examination*
32 *Superintendant*

Caibidil a Sé

Tá Carla buartha faoi Bhronagh agus faoina post féin.

Thiomáin Carla abhaile ón stáisiún an tráthnóna sin agus cúpla rud ag luí ar a hintinn.

"Beidh orm sibh a bhaint den chás," arsa an Ceannfort Mac Mathúna leo níos luaithe sa lá, "má tharraingíonn sibh a thuilleadh trioblóide oraibh féin agus ormsa."

Garda maith ba ea an Ceannfort ach ní raibh uaidh ach saol ciúin. Bhí sé le héirí as a phost[33] i gceann cúig mhí.

"B'fhéidir," ar sé, "gur ceart ligean do Gharda éigin eile súil a chaitheamh ar an gcás. Tá a fhios agaibh gur féidir a bheith dall ar rudaí áirithe nuair a éiríonn tú róghafa leis an scéal. B'fhéidir nár mhiste briseadh a thabhairt daoibh ón gcás."

"Tabhair seachtain eile dúinn," arsa Carla, "agus féach conas a éireoidh linn." "Tabharfaidh mé trí lá daoibh," arsa an Ceannfort, "trí lá agus feicfimid ansin."

Smaoinigh Carla ar Bhronagh ansin. Bhí fonn ar Carla dul chun cinn a dhéanamh ina post agus ardú céime a bhaint amach[34]. Thuig sí gur Gharda cumasach í. Thuig sí go raibh meas ag daoine ar an obair a bhí déanta aici ó thosaigh sí le Scuaid na Mórchoireanna. Ach bhí

33 *due to retire*
34 *attain promotion*

geallúint tugtha aici di féin. Ní raibh sí chun ligean don obair cur isteach ar shaol Bhronagh. Anois ní raibh sí cinnte nach raibh sé sin ag tarlú. An é go raibh níos mó suime aici sa phost ná mar a bhí i mBronagh?

Bhailigh sí Bronagh ó theach Rita. Thiomáin sí abhaile. Níor chuir Bronagh aon cheist uirthi faoin méid a bhí ráite ag a múinteoir léi. Cén fáth? Nuair a bhíodar ag ithe milseoige tar éis dinnéir rinne Carla iarracht labhairt le Bronagh.

"An bhfuil aon rud cearr ar scoil?" ar sí. "An bhfuil aon duine ag cur as duit?"

"Níl," arsa Bronagh go giorraisc[35].

Bhraith Carla nach raibh sí chun aon chaint a bhaint as a hiníon.

"Bhuel mura bhfuil tú chun aon rud a rá," arsa Carla, "ní fiú a bheith ag caint."

"Ní fiú, is dócha," arsa Bronagh.

"Ba mhaith liom," arsa Carla, "tú a fheiceáil ag obair arís mar a rinne tú roimhe seo." "Féach," arsa Bronagh, agus fearg uirthi go tobann, "nílim chun a bheith i mo chailín maith duit i gcónaí."

"An é sin é?" arsa Carla. "An raibh na cailíní eile ag magadh fút mar go raibh tú 'go maith'?"

"Á, is cuma," arsa Bronagh. "Ní thuigeann tú in aon chor."

Isteach sa seomra eile léi ansin chun féachaint ar chlár ceoil ar an teilifís. D'fhan Carla sa chistin. Bhí sí buartha i gceart anois faoi Bhronagh.

35 *curtly*

Caibidil a Seacht

Taispeánann na tástálacha gur drochhearóin a mharaigh na striapaigh. Tagann na Gardaí le chéile le haghaidh cruinnithe.

An mhaidin dár gcionn fuair Carla beart páipéir ar a deasc san oifig. Is é a bhí ann ná na torthaí ar na tástálacha saotharlainne a rinne Brian. Nuair a scrúdaigh Brian na ceithre chás le chéile chonaic sé go raibh rian láidir hearóine san fhuil i ngach corp. Ach ní raibh an dáileog láidir go leor iad a mharú. Rinne sé tástálacha ansin ar bhlúirí den hearóin a aimsíodh ar éadaí agus lámha na gcorp. Is amhlaidh go raibh baictéir[36] sa hearóin agus sin a bhí tar éis an dochar a dhéanamh. Drochhearóin a bhí tar éis na daoine seo a mharú, ní ródháileog.

Tháinig Colm isteach san oifig ag an bpointe sin agus dhá chupán caife ina lámha aige. Bhí torthaí na dtástálacha feicthe aige féin.

"Bhuel, freagraíonn na tástálacha sin cúpla ceist ach cad a dhéanfaimid anois?" ar sé.

"Measaim gur cheart dúinn dreas beag eile cainte a bheith againn le Willie," arsa Carla. "Braithim go bhfuil níos mó ar eolas aige ná mar a dúirt sé liom cheana. Labhair le Stáisiún Shráid an Phiarsaigh agus Stáisiún Shráid Chaoimhín. Caithfimid a fháil amach cá bhfuair an ceathrar seo an hearóin a mharaigh iad."

36 *bacteria*

"B'fhearr dúinn an méid atá faighte amach againn a chur in iúl don Cheannfort." arsa Colm.

Tháinig na Gardaí go léir a bhí ag obair ar chásanna na ndaoine marbha le chéile i seomra i Stáisiún Shráid an Phiarsaigh ar a ceathair a chlog an tráthnóna sin. Bhí teannas[37] le brath sa seomra. Níor thaitin sé le roinnt de na Gardaí gur dhein Garda ó stáisiún eile dul chun cinn i gcás a raibh siad féin á fhiosrú[38].

Bhí an Bleachtaire Ó Néill ina chathaoirleach ar an gcruinniú.

"Go raibh maith agaibh go léir as teacht," ar sé. "Ní chuirfidh mé am amú ag cur daoine in aithne dá chéile. Is dóigh liom go bhfuil aithne agaibh go léir ar a chéile pé scéal é. Tá an t-eolas a fuaireamar ar maidin curtha ar fáil daoibh. Caithfimid dul chun cinn a dhéanamh go tapaidh ar dhá chúis, *a.* ar eagla go bhfuil níos mó den droch-hearóin seo amuigh ansin agus daoine i mbaol agus *b.* mar nach féidir aon rud a choinneáil ciúin sa chathair seo. Beidh an scéal amuigh go luath. Cuirfidh an *Standard* ar an leathanach tosaigh é. Beidh gach dara Teachta Dála ag rá go bhfuil sé in am do na Gardaí gníomhú. Ansin beidh an Coimisinéir thuas staighre anuas sa mhullach ormsa[39]. Agus beidh mise anuas sa mhullach oraibhse."

Ansin labhair an Ceannfort Mac Mathúna. Bhí sé an-sásta gur beirt Gharda dá chuid féin a bhí tar éis an fiosrúchán a thabhairt an chéim seo chun cinn.

"Is í an teoiric[40] ar a bhfuilimid ag obair ná gur thug mangaire drugaí éigin droch-hearóin isteach. Tá a fhios againn go bhfuil Larry Ryan ag iarraidh bogadh isteach sa ghnó. B'fhéidir go bhfuil baint ag iarpharamíleataigh leis an scéal. Idir an drochhearóin, na hiarpharamíleataigh

37 *tension*
38 *investigating*
39 *getting on to me*
40 *theory*

agus Larry Ryan tá seans maith go dtosóidh cogadh idir na mangairí. Anois tá a fhios agam nach mbeadh roinnt agaibh róbhuartha dá dtosódh na mangairí ag marú a chéile. Ach má thosaíonn cogadh eatarthu beidh gach stáisiún teilifíse, raidió agus gach iriseoir nuachtáin anuas sa mhullach orainn chomh maith."

"Cá dtagann an Eileen Sheils seo isteach sa scéal?" arsa Tom Keogh

Bhí Tom caol, ard, díreach. Chaith sé tamall mar Gharda Pobail. Bhí aithne aige, dá bharr sin, ar Eileen Sheils.

"Nílimid cinnte. Tá a fhios againn go raibh sí ag iompar drugaí do Larry agus nach bhfaca aon duine le ceithre seachtaine í, ón uair ar bhailigh sí drugaí i nGlaschú," arsa Carla.

"Féach!" arsa an Bleachtaire Ó Néill. "Tiocfaimid go léir ar ais anseo amárach ar a 10.00 rn. Idir an dá linn faighigí amach cá bhfuair gach duine den cheathrar a fuair bás a gcuid hearóine. Má fuair siad go léir ón mangaire céanna í beidh an freagra againn. Idir an dá linn piocfaimid suas Larry Ryan más féidir linn. Tuigfidh sé, ar a laghad, go bhfuilimid ag coimeád súil air. B'fhéidir go ndéanfaidh sé rud amaideach éigin má chuirimid brú air. Agus a Carla is a Choilm, beirigí greim ar Willie Braine arís. Féach an féidir libh a chuimhne a fheabhsú[41]."

Rinne cúpla Garda meangadh ciúin. Bhí sé de cháil ar Ó Néill nár leasc leis na rialacha a lúbadh agus a bhriseadh[42] anois is arís chun toradh a fháil. Dá ainneoin sin is uile[43] bhí meas coiteann air i measc Ghardaí na cathrach.

41 *improve his memory*
42 *he wasn't averse to breaking the rules*
43 *despite all that*

Caibidil a hOcht

Pléann Carla scéal Bhronagh lena máthair féin.
Faigheann Carla agus Colm eolas ó fhear beáir.

D'iarr Carla ar a máthair – Peig – teacht chun dinnéir an tráthnóna sin. Bhí uirthi dul amach níos déanaí le Colm ar thóir Willie. Bhí siad ag iarraidh a fháil amach an raibh aon eolas aige faoi Denise Wright, duine den cheathrar a fuair bás le déanaí. Thugadh Peig aire do Bhronagh anois is arís. Labhair Carla léi faoin trioblóid ar scoil.

"Cad is ceart dom a dhéanamh, a Mham?" ar sí.

"Bhuel, ba cheart aghaidh a thabhairt air, ach níor cheart rud mór a dhéanamh de," arsa Peig. "Is dócha go bhfuil cúiseanna éagsúla leis. Tá sí ag fás suas. Ní féidir stop a chur leis sin. D'éirigh tú féin trioblóideach ag an aois sin. Mar a dúirt sí féin ní féidir léi a bheith ina cailín maith i gcónaí. Ach ...," agus ghlac sí anáil chiúin dhomhain sular lean sí ar aghaidh, "b'fhéidir go mbraitheann sí a hathair uaithi anois."

Bhí ionadh ar Carla. Níor thaitin Matt lena máthair ó scair siad ó chéile. Níor luaigh sí a ainm riamh. An raibh sí ag moladh di anois dul ar ais leis?

"Cad atá i gceist agat, a Mham?" arsa Carla

"Bhuel tá sí tar éis níos mó ama a chaitheamh leis ó thosaigh tú sa phost seo le Scuaid na Mórchoireanna. Feiceann sí an-chuid dá cairde agus beirt thuismitheoir acu a chónaíonn le chéile. Cuireann a leithéid isteach ar dhaoine fásta. Cén tionchar atá aige ar chailín 10 mbliana d'aois?"

"Cad atá á rá agat, a Mham?" arsa Carla go géar.

"Níl a fhios agam cad atá á rá agam," arsa Peig go buartha.

Tháinig Bronagh isteach sa chistin ag an nóiméad sin tar éis a hobair bhaile a chríochnú. Stad siad den chaint ach thuig sí gur fúithi féin a bhí siad ag comhrá.

"Suigh síos ansin, a Bhronagh," arsa Peig. "Cúpla nóiméad eile agus beimid réidh. Cad atá ag tarlú ar *Coronation Street* na laethanta seo? Ní fhaca mé le fada é."

Bhuail Carla le Colm lasmuigh de Halla na Saoirse ar a hocht a chlog. Bhí orthu teacht ar Willie Braine agus é a cheistiú arís. Bhain siad triail as Longman's ach dúirt fear an bheáir nár ghnách le Willie a bheith ag ól ann ach le linn an lae. Ní fhaca sé Willie le cúpla lá anuas, pé scéal é. D'ainmnigh sé trí theach tábhairne eile a bhféadfaidís triail a bhaint astu. Ach ní raibh Willie le fáil in aon cheann acu. Ní raibh sé feicthe ag aon duine le cúpla lá. "Táim buartha anois," arsa Carla. "Chloígh Willie leis na nósanna céanna le blianta anuas. Anois ní féidir linn teacht air. Caithfimid a sheoladh baile a fháil. Ní raibh sé sásta é a insint dom riamh."

Ar ais leo chuig Longman's. Bhreathnaigh fear an bheáir orthu go géar nuair a tháinig siad isteach. Is léir nach raibh fáilte rompu. Shín sé é féin os cionn an chuntair ina dtreo ionas nach gcloisfeadh aon duine dá chustaiméirí an chaint. Mhínigh Carla dó nach raibh siad ábalta teacht ar Willie.

"Dúirt mé libh," ar sé, "nach bhfuil aon rud eile ar

eolas agam. Imigí as an áit seo." Bhí Colm ciúin go dtí sin. Labhair sé i gcogar nimhneach[44] anois.

"Imeoimid maith go leor. Ach tiocfaidh mé ar ais ar 1.00 san oíche agus gach oíche idir seo agus an Nollaig. Ní bheidh custaiméir amháin fágtha agat nuair a bheidh mise réidh leat. Mar sin, déan iarracht amháin eile smaoineamh ar rud éigin a chabhróidh linn, is é sin má tá amadán cosúil leatsa in ann smaoineamh."

Bhreathnaigh fear an bheáir síos ar an gcuntar. D'ardaigh sé a cheann ansin. Lig sé amach a anáil trína shrón. Níor bhreathnaigh sé go díreach ar cheachtar acu.

"B'fhéidir," ar sé, "gurbh fhiú daoibh cnag a bhualadh ar dhoras Árasán 23, Teach na Fuinseoige."

"Tá a fhios agam nach maith leat bagairtí, a Carla," arsa Colm nuair a bhíodar amuigh ar an tsráid arís, "ach caithfidh tú triail a bhaint astu uaireanta."

Ní dúirt Carla faic. Thuig Colm gur aontaigh sí leis.

44 *venomous whisper*

Caibidil a Naoi

Tugann Carla agus Colm cuairt ar Willie Braine. Diúltaíonn sé aon eolas a thabhairt dóibh faoi Larry Ryan.

Thóg sé deich nóiméad orthu 23, Teach na Fuinseoige a bhaint amach. Bloc árasán a tógadh sna seascaidí déanacha a bhí ann. *Grafitti* ar na fallaí, boladh múin ar na staighrí, soilse briste agus árasáin fholmha a raibh cláracha ar na fuinneoga iontu.

Dhreap siad an staighre go dtí Uimhir 23. Bhí an phéint liathchorcra ar an doras caite le haois. Chnag Colm ar an doras. Ní bhfuair sé freagra. Chnag sé níos láidre. Ciúnas. D'fhan siad nóiméad gan aon rud a chloisteáil. Ansin d'ardaigh Carla an clúdach ar bhosca na litreach agus bhéic sí isteach san árasán.

"Willie, seo Carla anseo. Ba mhaith liom cúpla focal a bheith agam leat."

Tharraing duine éigin laiste an dorais. D'oscail an doras beagán agus chonaic siad ceann Willie. Dhún sé an doras arís. Chuala siad an slabhra á bhaint. D'oscail Willie an doras agus dúirt sé leo teacht isteach. Sular dhún sé an doras chuir sé a cheann amach agus bhreathnaigh suas síos an pasáiste. Chuir sé an slabhra ar ais ar an doras.

"An bhfuil rud éigin cearr, a Willie?" arsa Carla.

"Á, ní féidir a bheith róchúramach na laethanta seo,"

arsa Willie agus meangadh míchompordach ar a aghaidh. "Is dócha nár tháinig sibh anseo chun a fháil amach conas mar atá ag éirí liom."

"Tá an ceart agat," arsa Carla. "Tá eolas uainn. Cá bhfuair Denise Wright a cuid hearóine sula bhfuair sí bás?"

"Cá bhfios domsa?" arsa Willie.

Bhraith Carla fearg ina glór féin. "A Willie, tá gach margadh eadrainn ar ceal muna dtagann feabhas ar do chuimhne go tapaidh. Ná hinis dom nach bhfuil a fhios agat."

"Maith go leor!" arsa Willie, agus é ag géilleadh. "Is ón mBroc ba ghnách léi stuif a fháil le cúpla mí anuas." Mangaire eile drugaí ba ea an Broc nár éirigh leis na Gardaí breith air go fóill.

"An bhfuair sí aon rud ó Larry Ryan, aon rud sa bhreis b'fhéidir?"

"Ní... ní dóigh liom é. Ní bhfuair. Táim sách cinnte de sin." arsa Willie. Ach ní raibh aon chinnteacht le cloisteáil ina ghlór.

"Inis dúinn faoi Larry Ryan arís," arsa Colm.

"Cad atá i gceist agat? Ta gach rud atá ar eolas agam inste agam daoibh," a dúirt Willie agus an eagla le sonrú go soiléir ar a ghlór.

"A Willie," arsa Colm, agus bagairt[45] le tuiscint óna ghlór, "níor fhoghlaim mé aon rud ag Coláiste na nGardaí sa Teampall Mór ach ba é an chéad rud a d'fhoghlaim mé tar éis dom teacht amach as ná nach n-insíonn do leithéidse ach leath dá bhfuil ar eolas aige. Anois, tá ceathrar striapach marbh agus tá Larry Ryan páirteach[46] sa scéal ar shlí éigin. Má fhaighimse amach go raibh rud éigin ar eolas agat nár inis tú dúinn beidh

45 *threat*
46 *involved*

mé ar ais. Agus ní bheidh Carla liom an uair sin chun tú a shábháil."

"Ná leag lámh ormsa tusa, a..... a bhithiúnaigh," a bhéic Willie. Bhí smacht á chailliúint aige air féin. "Cuirfidh mise an dlí ort. Imeoidh mé chuig na nuachtáin. Ní féidir leat bagairt mar sin a dhéanamh ormsa."

"Cad a rinne mise? Bagairt! Cén bhagairt?" arsa Colm go bréagshoineanta[47].

"Féach, má fhaigheann siad amach go bhfuil mé ag caint libh maróidh siad mé," arsa Willie.

"Má fhaigheann cén duine amach?" arsa Carla. "Cén fáth a maróidís tú? Cad atá déanta agatsa? Tá tú sáite i rud éigin, a Willie. Inis dúinn faoi agus cabhróimid leat."

"Fágaigí m'árasán," arsa Willie go tobann. "Níl barántas[48] agaibh. Fágaigí an áit seo." Bhí smacht aige air féin arís. "Níl aon rud ar eolas agam. Anois fágaigí an áit nó beidh orm glaoch ar m'aturnae[49]."

Agus iad ag siúl síos an staighre bhéic sé ina ndiaidh, "Bailígí libh agus na bacaigí le teacht ar ais. Níl aon rud le hinsint agam daoibh."

Níor bhraith Carla gur uirthi féin agus ar Cholm a bhí a chuid cainte dírithe in aon chor.

"Tá níos mó ná sin ar eolas aige," arsa Colm nuair a shuigh siad isteach sa ghluaisteán.

"Tá, ach tá eagla an domhain air ar chúis éigin," arsa Carla. "Tá sé sáite go domhain[50] i rud éigin. Agus níl aon dul chun cinn déanta againn fós maidir le hEileen Sheils."

47 *mock innocently*
48 *warrant*
49 *attorney*
50 *deeply involved*

Caibidil a Deich

Cruinniú eile ag na Gardaí. Labhrann Carla le Liz Ryan.

Bhí gach duine in am don chruinniú an mhaidin dár gcionn. Chuaigh Ó Néill tríd liosta na striapach marbh, duine ar dhuine – Denise Wright, Susie Byrne, Stacey Power agus Maria Lee. Luaigh Gardaí éagsúla ainmneacha na soláthróirí[51] drugaí a bhí ag na striapaigh. Bhí leasainm orthu go léir – an Broc, Gob Fliuch, *Slimey* Hughes agus an *Chief*. Ní raibh Larry Ryan luaite in aon chor.

"Bhuel, cá bhfágann sé sin muid?" arsa Ó Néill.

Ní dúirt aon duine aon rud ar feadh nóiméid.

"Maith go leor!" arsa Ó Néill. "Piocfaimid suas Larry Ryan. Caithfimid leanúint orainn go dtí go bhfaighimid leide éigin. Cuirigí ceist ar gach foinse atá agaibh. Caithfidh sé go bhfuil rud éigin ar eolas ag duine éigin. Striapaigh, mangairí, is cuma liom."

Chuir Garda eile a cheann isteach an doras ag an bpointe sin. "Tá Liz Ryan ón *Evening Standard* ag iarraidh labhairt leat," ar sí.

Bhreathnaigh Ó Néill ar an tsíleáil agus ansin ar gach duine sa seomra. "Ó, go hiontach!" ar sé go searbhasach. "Beidh trioblóid againn anois go cinnte. An bhfuil aon smaoineamh ag aon duine fós conas is fearr

51 *suppliers*

déileáil leis seo?"

"Bhuel," arsa Carla, "inis an fhírinne di."

Bhreathnaigh gach duine eile sa seomra uirthi amhail is go raibh sí as a meabhair[52].

"Cad é go díreach atá i gceist agat?" arsa Ó Néill.

Bhí sé soiléir go raibh sé ag déanamh iarracht a fhearg a choimeád faoi smacht.

"Tabhair isteach ar an gcás í. Mínigh an fhadhb atá againn di. Abair léi go bhféadfadh an scéal mícheart cúpla duine eile a chur i mbaol[53]. Agus geall di go dtabharfaimid aon *scoop* eile sa scéal di siúd. Cad atá le cailliúint againn má tá an scéal cloiste aici cheana féin?"

"Aon rud le rá ag aon duine eile?" arsa Ó Néill.

Ní dúirt aon duine aon rud. Is léir go raibh siad in amhras54 faoin méid a bhí ráite ag Carla ach ní raibh siad ábalta an réasúnaíocht a lochtú[55].

"Maith go leor!" arsa Ó Néill. "Ós rud é gur agat a bhí an smaoineamh labhair tusa léi. Ach déan deimhin de go dtuigeann sí cé chomh dáiríre is atá an cás."

Thóg sé tamall ar Carla a chur ina luí ar Liz Ryan nach raibh siad ag iarraidh bob a bhualadh[56] uirthi. Bhí bob buailte cheana acu uirthi nuair a bhí siad ag iarraidh scéal a choimeád as na nuachtáin.

"Tá mé sásta é seo a thriail an uair seo," arsa Liz. "Ach má dhéanann sibh feall orm in aon slí sin deireadh go deo le haon chomhoibriú uaim."

Phléigh siad an scéal a fhoilseofaí an tráthnóna sin sa *Standard*. Ansin rith Liz léi chun an scéal a scríobh in am don chlódóir.

52 *as if she were mad*
53 *endanger*
54 *in doubt*
55 *couldn't fault her reasoning*
56 *play a trick*

Caibidil a hAon Déag

Cuireann scéal sa Standard eagla agus fearg ar Larry Ryan. Feiceann Carla radharc nach bhfuil go deas.

Léigh Larry Ryan an chéad alt i bpríomhscéal an *Standard* an tráthnóna sin faoin gceannlíne 'Drugaí Aimsithe'.

Deir foinse iontaofa gur aimsigh na Gardaí lastas[57] drugaí in árasán i lár na cathrach inné. Creideann na Gardaí gur ó Ghlaschú a tháinig an lastas seo. Measann siad go bhfuil baint ag iarpharamíleataigh le hiompórtáil na ndrugaí seo. Tá ainmneacha na ndaoine seo ar eolas ag na Gardaí. Tá siad le leanúint lena bhfiosrúcháin. Ceapann siad go mbeidh siad in ann amhrasáin[58] a ghabháil go luath.

Lean an t-alt ar aghaidh le breis eolais agus tuairimíochta. Bhí ainm Liz Ryan go feiceálach ag bun an scéil.

Léim sé suas as a chathaoir. "An raicleach," ar sé go feargach. "Cá bhfuair sí an scéal seo?"

D'fhan na fir a bhí timpeall air ciúin. Ní raibh siad cinnte cad a bhí i gceist aige. Ach ní raibh siad chun ceist a chur air. Bhí fearg ar Larry agus ní raibh Larry go deas nuair a bhí fearg air.

"Dúnaigí bhur mbéal," ar sé de bhéic. "Caithfidh mé

57 *shipment*
58 *suspects*

smaoineamh."
Cé nach raibh siad ag caint bhí béal cúpla duine ar oscailt. Dhún siad iad.

Bhí Larry ag análú go trom. Bhí sé ag déanamh iarracht smaoineamh. B'fhearr go mór leis a bheith ag gníomhú. Ní raibh aon smaoineamh ag teacht chuige. Ní raibh ina cheann ach scamall mór dubh. Bhí air cabhair a lorg.

"Cad atá ar eolas againn?" ar sé.

Labhair Ian an Scian Ó Broin. Saghas rúnaí do Larry ba ea Ian an Scian.

"Tá a fhios againn go bhfuair Eileen Sheils an chéad lastas hearóine agus gur thug sí chugainn slán é. Tá a fhios againn go bhfuair sí an dara lastas hearóine sin i nGlaschú agus nach bhfacamar ó shin í. Tá a fhios againn go raibh na Gardaí sin - de Lóndra agus Ó Laoire – ag snúpáil timpeall le cúpla lá. Tá a fhios againn go raibh siad ag caint le Willie Braine. Agus tá a fhios againn gurbh fhearr dúinn rud éigin a dhéanamh go tapaidh nó go mbeimid i dtrioblóid."

Bhí ionadh ar na fir eile nuair a luaigh an Scian dhá lastas hearóine. Ní raibh aon rud cloiste acu go dtí sin faoin gcéad lastas.

"Ceart go leor!" arsa Larry.

Thosaigh sé ag tabhairt orduithe. Bhí beirt le dul go Glaschú le lastas eile drugaí a bhailiú. Bhí duine le dul ó thuaidh chun labhairt leis an 'gCaptaen' ansin faoin scéal. Bhí ceathrar eile le 'labhairt' leis na striapaigh ar na sráideanna féachaint an mbeadh aon eolas acu faoi Eileen Sheils.

"Rachaidh mé féin agus an Scian chun labhairt le Willie," arsa Larry.

Bhí ionadh ar na fir eile. B'annamh a ghlac Larry páirt dhíreach sna himeachtaí. Orduithe a thugadh sé. Lig sé do na fir eile an 'obair shalach' a dhéanamh.

"Á, Ian," ar sé, "tá sé seo cosúil leis na seanlaethanta nuair nach raibh ann ach mé féin is tu féin."

Bhí éiginnteacht le sonrú ar ghuth Ian.

"Tá," ar seisean.

Trí huaire an chloig níos déanaí bhuail Carla cnag ar dhoras 23, Teach na Fuinseoige. Bhí sí féin agus Colm tar éis triail a bhaint as Longman's ach ní raibh Willie ann. Ní bhfuair siad aon fhreagra ón árasán anois. Chas sí le himeacht.

"Fan go bhfeicfidh mé," arsa Colm, "an bhfuil an doras ar oscailt."

Tharraing sé cic láidir ar an doras. Bhris an glas agus d'oscail an doras. Thaitin na scannáin *Mafia* le Colm chomh maith, gan dabht. Chuala siad cúpla cuileog ag eitilt timpeall an árasáin. Shéid séideán isteach trí fhuinneog oscailte. Lig na cuirtíní lása roinnt solais isteach.

Bhí an t-árasán in aimhréidh. Chonaic siad fuil ar an urlár.

"Ní maith liom é seo," arsa Carla.

Bhí doras an tseomra codlata leath ar oscailt. Bhrúigh Colm siar é.

"Íosa Críost na bhFlaitheas!" ar seisean. "Tá Willie istigh anseo ach ní dóigh liom gur mian leat é a fheiceáil."

Shiúil Carla isteach sa seomra chodlata. Baineadh stad aisti. Tháinig dath bán ar a haghaidh. Bhí Willie caite ar an leaba. Ní raibh air ach fobhrístí salacha. Bhí comharthaí na drochíde[59] a tugadh dó go soiléir ar a

59 *signs of illtreatment*

aghaidh agus ar a chorp. Chrom Colm síos. Chuir sé dhá mhéar ar scornach Willie. Ní raibh aon chuisle[60] le brath. Chroith sé a cheann. Chonaic sé blúire páipéir ag gobadh amach as béal Willie. Tharraing sé amach é. D'oscail sé é. Abairt amháin a bhí air, scríofa faoi dhó.

"Is binn béal ina thost. Is binn béal ina thost."

Rith Carla chuig an leithreas agus chaith amach a raibh ina bolg.

60 *pulse*

Caibidil a Dó Dhéag

Tá Carla agus Bronagh déanach do cheolchoirm. Tosaíonn argóint eatarthu ansin. Buaileann Carla Bronagh. Tosaíonn Carla ag gol.

Nuair a shroich Carla an oifig ar a ceathrú tar éis a cúig bhí teachtaireacht fágtha ag Matt di ar an inneall freagartha.

"Tá sé i gceist agam freastal ar cheolchoirm na scoile anocht chun Bronagh a fheiceáil ag seinm. Má tá tú faoi bhrú tá mé sásta Bronagh a bhailiú ó theach Rita, dinnéar a thabhairt di agus í a thabhairt chuig an gceolchoirm," a dúirt sé mar chuid den teachtaireacht.

Bhí a fhios ag Carla go raibh ceolchoirm ar siúl. Bhí sí le Bronagh a thabhairt ann. Ach ní raibh a fhios aici go raibh Bronagh le bheith ag seinm. Cén fáth nach ndúirt Bronagh léi? Níor lig sí uirthi go raibh aon rud ag cur as di nuair a ghlaoigh sí ar ais ar Matt ar a ghuthán póca.

"Go raibh maith agat," ar sí go giorraisc leis, "ach feicfimid ann tú."

"An bhfuil tú fós san oifig?" a d'fhiafraigh Colm di. "Tá a fhios agat go bhfuil sé ag tosú ar a seacht."

"Ar ndóigh tá a fhios agam," ar sí. "Slán!"

Ach ní raibh a fhios aici go raibh an cheolchoirm ag tosú ar a seacht. Bhí leathuair oibre fágtha le déanamh aici. Líon sí roinnt foirmeacha. Chuir sí tuairisc chuig na Gardaí eile a bhí ag obair ar an gcás chun an casadh is déanaí a mhíniú dóibh. Rug sí ar a cóta agus rith sí amach as an oifig.

Chonaic sí DART ag fágáil nuair a shroich sí an stáisiún. Bhí uirthi fanacht fiche nóiméad eile mar sin. Chuir an trácht moill uirthi mar ba ghnách. Níor shroich sí teach Rita go dtí a seacht a chlog. Bhí Bronagh ag fanacht ag an doras agus Rita in aice léi. Ní dúirt Rita aon rud ach thuig Carla go raibh sí míshásta.

"Tá brón orm, a Rita," arsa Carla. "Cuirfidh mé glaoch ort níos déanaí. Caithfimid brostú go dtí an scoil." Ní dúirt Rita ach, "Tá a fhios agam."

Níor labhair siad mórán sa ghluaisteán ar an mbealach chun na scoile. Bhí Bronagh leis an bhfeadóg a sheinm le grúpa as a rang agus le taispeántas rince seite a thabhairt. Lig Carla í amach as an ngluaisteán nuair a shroich siad an scoil. Rith sí isteach chuig an halla. Pháirceáil Carla an gluaisteán. Nuair a shroich sí an halla bhí an áit lán le tuismitheoirí agus páistí. Bhí an chuma ar gach duine go raibh siad ag baint taitnimh as an taispeántas. Chonaic sí Bronagh ar chúl an halla agus lámh a múinteora timpeall ar a guaillí. Bhí sí ag smugaíl goil.

"Bhí sí ródhéanach don ghrúpa feadóige." arsa an múinteoir.

"Ta an-bhrón orm, a mhúinteoir," arsa Carla. "Rugadh orainn sa trácht."

"Tuigim," arsa an múinteoir. "Ní raibh aon dul as, is dócha. Beidh gach rud ceart go leor."

Ach bhí sé soiléir nár cheap an múinteoir go mbeadh sé ceart go leor.

Chonaic sí Matt ag teacht ina dtreo ó lár an halla. Rith Bronagh chuige. D'ardaigh sé suas í agus phóg í ar an leiceann. Bhraith Carla pian ina croí. Bhí sé deacair uirthi análú. Bhraith sí deoir ina súil. Rinne sí casachtach chun go mbeadh cúis aici a srón is a súile a chuimilt. Shiúil sí trasna chucu.

"Gabh mo leithscéal!" ar sí.

Bhí Matt ag suaimhniú Bhronagh.

"Ní raibh aon leigheas ag Mamaí air," ar sé. "Déanfaidh sí é a chúiteamh leat[61]. Tarlaíonn rudaí uaireanta agus ní bhíonn neart ag aon duine orthu."

Bhraith Carla go raibh tuismitheoirí eile ag breathnú orthu. Thug Matt a míshuaimhneas faoi ndeara.

"Tá cathaoir fholamh in aice liom más mian leat suí síos," ar sé.

Ní raibh aon dul as ag Carla. Mheas sí go raibh na tuismitheoirí eile ag éisteacht leis an méid a bhí á rá acu. Shuigh siad beirt síos agus Bronagh ina suí ar chúinne de shuíochán Matt. Bhí lámh Matt timpeall ar a gualainn. Rinne sí an taispeántas rince seite tar éis tamaill. D'fhill sí ón stáitse agus cuma i bhfad níos sásta uirthi. Chuir Carla amach a lámh chun breith uirthi agus rinne sí spás di ar chúinne dá suíochán féin. Ach lig Bronagh uirthi nach bhfaca sí í. Chuaigh sí ar ais chuig suíochán Matt.

Bhraith Carla míchompordach agus feargach. Bhí Matt an-bhéasach léi i rith na hoíche. Rinne sé comhrá léi. Mhol sé na grúpaí éagsúla a chuaigh suas ar an ardán. Bhí aithne aige ar a lán de na tuismitheoirí sa halla, i bhfad níos mó ná mar a bhí ag Carla. Cé gur chuir sé roinnt mhaith acu in aithne di go béasach bhraith sí go raibh sí ina haonar. Ag deireadh na hoíche sheas siad go

61 *she will make it up to you*

léir chun bualadh bos mór amháin a thabhairt.

"Seo, téanam ort," arsa Carla le Bronagh gan aon mhoill. "Abair 'Slán' le d'athair." "Slán, a Bhronagh," arsa Matt. "Bí go maith. Slán, a Carla."

Ní dúirt Carla aon rud. Ní dúirt Bronagh aon rud ach bhreathnaigh sí ar a máthair le súile caola dorcha.

Níor labhair Carla agus Bronagh sa ghluaisteán ar an mbealach abhaile. Nuair a bhí siad ag tiomáint isteach lána an tí dúirt Carla, "Tá brón orm nach rabhamar ann in am."

Ní dúirt Bronagh aon rud.

"Cén fáth nach ndúirt tú liom go raibh tú ag seinm?" a d'fhiafraigh Carla di.

"Cad ab fhiú?" arsa Bronagh. "Nach cuma leatsa?"

"Cad atá i gceist agat leis an gcaint sin?" arsa Carla agus an fhearg ag borradh inti go tobann.

"Bíonn tú déanach i gcónaí. Tá do phost mór tábhachtach agat. Bhí gach tuismitheoir eile ann. Beidh siad go léir ag caint fúm anois."

Bhí féintrua[62] le cloisteáil i nglór Bhronagh ach má bhí sí ag súil lena thuilleadh leithscéalta óna máthair bhí dul amú uirthi.

"Éist tusa liomsa anois," arsa Carla agus an fhearg, an teannas agus an brú a bhí uirthi le tamall anuas ag fáil an lámh in uachtar uirthi. "Tá brón orm go raibh mé déanach ach tá saol agamsa chomh maith. B'fhéidir gur nuacht duitse é sin ós rud é nach bhfeiceann tú ach do shaol beag féin. Is ea, tá post tábhachtach agam agus is ea, oibrím go crua aige. Agus bím déanach uaireanta. Agus gabh mo mhíle leithscéal mura bhfuil mé ann gach nóiméad de gach lá chun a bheith ag freastal ort, a dhuine uasail."

Thuig Carla go raibh sí ag dul thar fóir leis an

62 *selfpity*

searbhas. Thuig sí go raibh sí ag gortú Bhronagh ach lean an sruth cainte ag teacht go dtí go raibh sé ródhéanach. Bhí na deora ag sileadh le Bronagh.

"Bhuel bíodh an diabhal agatsa agus ag do phost tábhachtach," arsa Bronagh agus fuath ina glór. "Ní haon ionadh gur fhág Daidí. Faraor nár thóg sé mise leis."

Tharraing Carla clabhta[63] trasna leiceann Bhronagh, rud nach raibh déanta aici riamh roimhe sin. Tharraing Bronagh a ceann siar leis an ngeit a bhain an clabhta aisti. "Imigh isteach sa teach agus suas go dtí do leaba agus ná habair é sin liomsa riamh arís," arsa Carla léi.

Phlab Bronagh doras an ghluaisteáin agus í ag fágáil. Phlab sí doras an tí. Chuala Carla í ag plabadh dhoras a seomra codlata. Shuigh Carla sa ghluaisteán agus shil sí deora a cinn. Ghoil sí in éadan a tola[64] i dtosach agus ansin go tiubh glórach nuair a bhí buaite ar a toil. Ghoil sí go réidh ciúin ag an deireadh. Ghoil sí na deora nár ghoil sí ó d'fhág Matt. Ghoil sí do Bhronagh a bhí fágtha gan athair agus don deartháir nó deirfiúr bheag nach raibh aici riamh. Agus ghoil sí di féin ansin go dtí go raibh na deora go léir silte. D'fhan sí tamall fada sa ghluaisteán an oíche sin.

Nuair a bhí sí críochnaithe chuaigh sí isteach doras an tí. Suas an staighre go mall léi agus isteach ina seomra codlata. Bhain sí di a cuid éadaí go mall, tharraing an blaincéad thart uirthi agus thit codladh trom uirthi nár chuir aon tromluí ná brionglóid isteach air.

Dhúisigh sí go déanach an mhaidin dár gcionn agus luigh sí sa leaba ar feadh nóiméid gan chorraí. Bhraith sí mar a bheadh sí ag tosú saol nua an la sin. Bhí an méid a bhí thart thart.

63 *slap*
64 *against her will*

Caibidil a Trí Déag

Tugann deartháir Willie Braine téip do Carla agus Colm. Tá eolas ar an téip faoi na mangairí drugaí.

Bhí Carla déanach ag dul ag obair an lá sin. Bhí Colm roimpi san oifig. Bhí siad beirt gruama. Bhí dúnmharú[65] Willie ag cur isteach orthu

"Chuaigh mé chun cainte le deartháir Willie aréir," arsa Colm. "Bhí sé curtha amach faoi Willie ach ní raibh ionadh air. Tá sé chun aire a thabhairt do na socruithe sochraide. Caithfidh mé a rá nach dóigh liom gur maith leis na Gardaí. Ní raibh sé an-bhéasach liom in aon chor."

Chíor siad gach a raibh tarlaithe. Bhí sé soiléir go raibh píosa eolais in easnamh orthu. Ach cá raibh an t-eolas sin le fáil. Bhuail an guthán. D'fhreagair Carla é.

"Tabhair aníos chugainn é, más é do thoil é," ar sí leis an duine ar an taobh eile.

Chas sí timpeall chuig Colm.

"Tá deartháir Willie ag teacht aníos chun labhairt leat." Bhreathnaigh Colm uirthi agus ceist ina shúile ach ní raibh am acu labhairt le chéile. Ag an bpointe sin tháinig fear meánaosta isteach san oifig. Bhí sé soiléir nach raibh sé compordach i measc na nGardaí go léir.

"Tá fáilte romhat, a Jack," arsa Colm. "Seo í an tOifigeach de Londra atá ag obair liom ar chás do

65 *murder*

dhearthár. An féidir linn cabhrú leat?"

"B'fhéidir gur féidir liomsa cabhrú libhse," arsa Jack. "Labhair Willie liom seachtain ó shin. Bhí sé an-bhuartha. Thuig sé go raibh sé i mbaol ach níor mhínigh sé an chúis dom. Thug sé an téip seo dom le tabhairt daoibh dá dtarlódh aon rud dó."

Leis sin chuir Jack lámh ina phóca. Thóg sé amach téip agus leag sé ar an mbord í.

"Gabh mo leithscéal as gan í a thabhairt duit aréir ach bhí mé trína chéile."

Ní dúirt sé aon rud eile.

Bhí sé ag siúl amach an doras nuair a dúirt Colm, "Go raibh maith agat, a Jack. Má smaoiníonn tú ar aon rud eile nó más féidir linne aon rud a dhéanamh duit cuir glaoch orainn. Agus, a Jack," ar sé, "bí cúramach. Tá na daoine seo a bhfuilimid ag déileáil leo an-dainséarach."

Chrom Jack a cheann. Bhreathnaigh sé ar Cholm agus ar Carla gan aon rud a rá agus d'imigh sé amach as an oifig.

Ní dúirt Colm ná Carla aon rud ar feadh nóiméid. Bhí siad beirt ag breathnú ar an téip. Ansin d'imigh Colm chuig oifig eile chun téipthaifeadán a fháil ar iasacht. Tháinig sé ar ais. Chuir sé an téip isteach ann agus bhrúigh sé an cnaipe.

"Dia dhuit, a Carla. Willie anseo. An méid atá le hinsint agam duit anois is í an fhírinne í. Tá brón orm nár inis mé gach rud duit roimhe seo ach tuigeann tú féin cén saghas duine mé. Tá an rud a tharla uafásach ach bhí mé sáite ródhomhain[66] ann faoin am ar thuig mé cad a bhí ag tarlú. Tá súil agam go gcreideann tú nach mbeadh páirt agam i rud mar seo dá mbeadh rogha agam. Ní

---

66 *too deeply involved*

chuireann mórán daoine eagla orm, an dtuigeann tú, ach cuireann Larry Ryan.

"Rinne Larry Ryan teagmháil le hiarpharamíleataigh sé mhí ó shin. Chuala sé go raibh plean acu ceannas a bhaint amach ar dháileadh drugaí i mBaile Átha Cliath. Bhí na gunnaí agus an t-airgead acu siúd. Bhí eolas ar an gcathair agus 'trúpaí' ar an talamh ag Larry. Is dócha gur phioc siad Larry mar go bhfuil sé glic gan a bheith róghlic. Maidir le Larry, chonaic sé seans 'fear mór' a dhéanamh de féin. Bhí sé mór ann féin i gcónaí.

Ach bhí orthu an lámh in uachtar a fháil ar na mangairí drugaí eile i mBaile Átha Cliath. Bhí orthu an gnó a mhealladh uathu. Seo an rud a rinne siad:

"Chuaigh Eileen Sheils go Glaschú do Larry cúpla mí ó shin. Thug sí lastas hearóine abhaile chuige. Ach drochhearóin a bhí inti. Thuig Larry é seo. Níor thuig mise. Dhíol sé go maith mé chun an hearóin seo a dháileadh[67] ar na mangairí drugaí eile sa chathair. Lig mé orm go raibh mé tar éis lastas a thabhairt isteach mé féin ó Londain. Ghlac na mangairí leis mar go raibh sé á dhíol go saor agam. Dhíol siad siúd leis na handúiligh í. Fuair roinnt acu bás, mar a thuigeann tú. Bhí a lán eile acu an-tinn. Is féidir é sin a sheiceáil ach labhairt leis na haonaid sna hospidéil a bhíonn ag déileáil leis na handúiligh.

"Anois tá eagla an domhain ar na handúiligh aon rud a cheannach ó na mangairí a bhfuil aithne acu orthu. Cad is féidir leo a dhéanamh? Dul chuig na Gardaí ag gearán! Fuair Eileen Sheils amach cad a bhí ag tarlú. Chuala sí Larry ar an nguthán lá amháin nuair a bhí sí ina sheomra codlata. Bhaineadh sé mí-úsáid aisti ar mhaithe leis féin

67 *distribute*

uaireanta, tá a fhios agat. D'inis sí faoi rún domsa é. Bhí eagla uirthi an scéal a insint d'aon duine eile. Tá an ghráin aici ar Larry anois ach tá eagla uirthi roimhe, is é sin má tá sí fós beo.

"D'imigh sí go Glaschú arís chun lastas eile hearóine a fháil do Larry. Stuif mhaith an uair seo. Bhí Larry chun é seo a úsáid chun custaiméirí a mhealladh chuige féin. Bhailigh Eileen an hearóin ach ní fhaca éinne ó shin í. Déarfainn go bhfuil sí ar a seachaint[68] áit éigin i nGlaschú. Má rug Larry uirthi tá sí marbh. Dhá rud bheaga eile. Tá Larry faoi bhrú ó na hiarpharamíleataigh atá ag iarraidh airgead a ghnóthú ar a n-infheistíocht. Tá sé ag tabhairt lastas eile hearóine trasna go luath. Maidir le hEileen Sheils níl aon tuairim agam cá bhfuil sí ach bhí cara léi – Debbie – ag obair i nGlaschú i mbialann éigin darb ainm Xanadu. Seans go mbeadh eolas éigin aici siúd más féidir libh teacht uirthi.

Maidir liom féin, bhuel tá na mangairí sin ar mo thóir. Má bheireann siad orm ní bheidh siad róchineálta liom. Mhill mé a ngnó orthu. Is é sin an fáth ar bhuail mé leat i Longman's. Ní chuirfidh siad lámh orm agus mé faoi shúil Larry agus a chuid fear."

Ní raibh le cloisteáil ar an téip ar feadh tamaill ach análú Willie. Ansin chuala siad glór cathaoireach agus shamhlaigh Carla Willie ag síneadh i dtreo an téipthaifeadáin chun é a mhúchadh.

"Slán!" ar sé sular chríochnaigh an téip.

---

68 *in hiding*

Caibidil a Ceathair Déag

Tugann Carla agus Colm scéal eile do Liz Ryan le foilsiú.

Chuir Carla glaoch gutháin ar Douglas McCleish i nGlaschú. Bhí aithne aige ar dhá bhialann leis an ainm Xanadu. Dúirt sé go n-imeodh sé láithreach chun Debbie a lorg. D'fhiafraigh sé di an raibh a fhios aici go raibh an 'Captaen', ceannaire na n-iarpharamíleatach ó Bhéal Feirste, tar éis taisteal go Glaschú an lá roimhe sin. Chonaic Oifigeach Custaim é. Ba d'aon ghnó nár ghabh siad é. Bhí siad á leanúint agus ag coimeád súil ar a ghníomhaíochtaí. Ghabh Carla buíochas leis as an eolas seo a roinnt léi.

Tháinig Mac Mathúna isteach san oifig níos déanaí an tráthnóna sin.

"An bhfuil aon tuairim againn cé a mharaigh Willie Braine?" ar sé.

Mhínigh siad an méid a bhí cloiste ar an téip acu dó. "Mar sin," ar sé, "caithfimid a bheith in amhras faoi gach duine de na mangairí a cheannaigh drochhearóin ó Willie."

"Bheadh aon duine acu in ann é a mharú agus sásta é a dhéanamh," arsa Colm.

"Féach," arsa Mac Mathúna, "tá Liz Ryan thíos staighre. An labhródh sibh arís léi? Tá a fhios aici go bhfuil corp eile aimsithe againn. Níl a fhios agam conas a chuala sí."

"Tá sé deacair drochscéal a choimeád faoi rún," arsa Colm le Liz nuair a shiúil sí isteach san oifig.

"Tá sé deacair aon rud a choimeád faoi rún ar dhuine a bhfuil foinsí maithe aici," arsa Liz go bogásach. "Anois, ní raibh sibh ag smaoineamh ar an scéal is déanaí seo a choimeád uaim, an raibh sibh? Cé hé an corp?"

"Nílimid féin ach tar éis é a chloisteáil," arsa Carla.

"Willie Braine a bhí ann. Mionchoirpeach. Bhí baint éigin aige leis an scéal a d'fhoilsigh tú inné ach ní mangaire mór a bhí ann."

"Bhí an tEagarthóir an-sásta liom inné. Ceapann sé anois gur cheart dúinn feachtas[69] a thosú sa pháipéar i gcoinne na mangairí go léir sa chathair. Caithfidh mé agallamh a dhéanamh ar an teilifís anocht. Poiblíocht iontach don *Standard* is ea é seo go léir. Ach féach anois, caithfidh mé rud éigin níos fearr ná 'Mionchoirpeach marbh' a thabhairt ar ais mar cheannlíne."

"B'fhéidir go raibh páirt níos mó ag Willie ann ná mar a thuigeamar," arsa Colm.

"Cad atá i gceist agat, a Choilm?" arsa Carla.

"Cad mar gheall ar seo mar phríomhscéal?" arsa Colm. "*Mangaire mór marbh. Díoltas bainte amach ag iarpharamíleataigh as ucht drugaí a ghabh na Gardaí.*"

"Ach dúirt sibh nach mangaire mór a bhí i Willie Braine," arsa Liz Ryan.

Go tobann, thuig Carla an cleas a bhí á imirt ag Colm.

"Is ea, ach feicfidh Larry Ryan é seo. Ceapfaidh sé go bhfuil sé féin sábháilte. Beidh seans i bhfad níos fearr ansin go ndéanfaidh sé botún."

69 *campaign*

"Ní féidir liom é seo a chur i gcló," arsa Liz. "Níl sé fíor."

Bhreathnaigh Colm agus Carla uirthi le súile móra brónacha, mar dhea.

"Cá bhfios duitse nach bhfuil sé fíor?" arsa Colm.

Caibidil a Cúig Déag

Cailleann Larry a pheann agus a lastóir. Buaileann sé leis an gCaptaen. Cuireann na Gardaí isteach ar an gcruinniú.

Léigh Larry Ryan an *Standard* an tráthnóna ina dhiaidh sin. Bhreathnaigh na daoine eile sa chomhluadar air go himníoch. Bhí sé deacair Larry a mheas na laethanta seo. Chuir sé síos an páipéar. Bhreathnaigh sé ar na daoine eile. Gháir sé. Gháir siad siúd. Bhí sé sásta. Bhí siadsan sábháilte.

Bhí an 'Captaen' ag eitilt isteach ó Ghlaschú an tráthnóna sin chun bualadh le Larry. Chuir an 'Captaen' eagla ar Larry. Bhí súile fuara crua aige. Bhí Larry ag iarraidh go mbeadh gach rud eagraithe in am don chruinniú. Thóg sé amach a leabhar nótaí. Lorg sé a pheann.

"Léan air[70]!" ar seisean. "An bhfaca éinne mo pheann?"

"Cén peann?" arsa an Scian.

"An ceann sin a thug an óinseach Eileen Sheils dom do mo lá breithe agus *Do mo Larry, grá go deo, Eileen* greanta air. *Mo Larry*!" ar sé go tarcaisniúil.

"Ní fhaca," arsa an Scian.

Bhí socrú déanta ag Larry bualadh leis an 'gCaptaen' laistiar de mhonarcha in Eastát Tionsclaíochta Thaobh na Coille. Ní raibh an Captaen róshásta nuair a labhair

70 *damn it*

Larry leis ar an nguthán. Bhí lastas drugaí imithe ar iarraidh. Bhí na Gardaí sa tóir orthu. Bhí an scéal ar leathanach tosaigh an *Standard*.

"Cheap mé go bhféadfainn muinín a bheith agam asat, a Larry. Anois níl mé róchinnte." "Ná bí buartha," arsa Larry. "Beidh gach rud ceart go leor."

Dúirt an Captaen leis na fir a bhí ag dul leis chuig an gcruinniú i dTaobh na Coille a ngunnaí a bhreith leo. Fir ba ea iad seo a d'úsáid gunnaí go minic cheana. Fir ba ea iad a mharaigh daoine nuair a dúirt an Captaen leo é sin a dhéanamh. Rinne siad roimhe seo ar son na cúise é. Bhí siad á dhéanamh anois ar son an airgid.

Dúirt Larry leis na fir a bhí ag dul leis siúd chuig Taobh na Coille a ngunnaí a bhreith leo chomh maith. Fir ba ea iad a ghortaigh daoine cheana ar son an airgid.

Ar leathuair tar éis a seacht an tráthnóna sin thiomáin Ian an Scian go mall isteach sa charrchlós ar chúl mhonarcha ríomhaireachta[71] san eastát tionsclaíochta. Bhí an áit tréigthe faoin am seo. D'imigh na hoibrithe abhaile ar a cúig a chlog. Bhí scip shalach bhuí in aice le cúldhoras na monarchan agus í lán le seanríomhairí agus bruscar oifige. Bhí sconsa timpeall an charrchlóis. Ní raibh ach monarchana eile ar an taobh eile den sconsa. Níor thaitin an áit seo le Larry. Bhí sé róchiúin. Ní raibh ach slí amháin amach as. Bheadh sé deacair éalú.

Ní raibh an Captaen agus a chuid fear anseo go fóill. Sheas Larry, an Scian agus an bheirt fhear a bhí ar cúl amach as an ngluaisteán. Ní raibh siad compordach. Bhreathnaigh siad timpeall ar eagla go mbeadh aon duine ag faire orthu.

"Ná bígí neirbhíseach," arsa Larry. "Réiteoidh mé

71 *computer factory*

féin agus an Captaen gach rud."

Thóg Larry amach bosca toitíní. Ghlac an bheirt fhear eile toitín uaidh. Níor ghlac an Scian. Chuir Larry a lámh ina phóca. "Léan air!" ar sé. "An bhfaca éinne mo lastóir? An bhfuil sé sa ghluaisteán?"

"Is cuma faoi," arsa duine de na fir. "Ta lastóir agamsa." "Á, léan air arís!" arsa Larry. "Ceann maith a bhí ann a fuair mé ó mo bhean chéile don Nollaig."

Thóg an fear eile amach a lastóir agus las sé na toitíní.

Sheas siad timpeall an ghluaisteáin ar feadh cúpla nóiméad. Chorraigh siad ó chos go cos. Bhreathnaigh siad timpeall orthu féin. Bhíog siad gach uair a dtéadh gluaisteán suas síos an bóthar. Ansin chuala siad gluaisteán ag tarraingt isteach sa charrchlós. Mhúch siad na toitíní lena mbróga. Dhírigh siad na seaicéidí orthu féin. Sheiceáil siad na gunnaí a bhí ina bpócaí.

Stop an gluaisteán eile in aice leo. Sheas ceathrar fear amach. Bhreathnaigh beirt acu timpeall orthu go cúramach. D'imigh Larry trasna chuig an bhfear a tháinig amach as suíochán an phaisinéara.

"Tá fáilte romhat, a Chaptaein," ar sé.

"Go raibh maith agat, a Larry," arsa an Captaen.

"Conas mar a bhí an turas agat ...?" a thosnaigh Larry.

Bhris an Captaen trasna ar chaint Larry go tobann. "Tá fadhbanna againn, Larry, an bhfuil?"

Bhog Larry go neirbhíseach. Bhraith sé allas ar a chlár éadain.

"Níl mé á rá sin go díreach," arsa Larry.

"Bhuel, céard atá á rá agat, más ea?" arsa an Captaen.

"Tá lastas amháin drugaí in easnamh orainn. Tá an striapach a ghoid é ar iarraidh. Dúirt tusa go rabhamar ábalta brath uirthi go hiomlán. Bhí cara leat ag caint leis na Gardaí. Dúirt tú go rabhamar ábalta brath air siúd go hiomlán chomh maith. Anois tá na Gardaí ag fiosrú an scéil. Cad a deir tú leis sin?" arsa an Captaen.

Bhí Larry faoi bhrú. Níor cheap sé go mbeadh an Captaen chomh feargach leis seo. Bhí sé ag cur allais.

"Féach," arsa Larry. "Thug mé féin agus an Scian anseo 'aire' do Willie Braine."

Thóg Larry cóip den *Standard* amach as a phóca.

"Léigh é seo," ar sé

Bhí sé cinnte go mbeadh an Captaen sásta. Léigh an Captaen an scéal go tapaidh. Tháinig meangadh ar a aghaidh. Bhraith Larry beagán níos sábháilte. Ach ansin spréach an Captaen.

"A amadáin," ar sé. "A phleidhce de amadán. Nach dtuigeann tú gur phlandáil na Gardaí an scéal seo? Ní haon amadáin iad siúd ach is amadán cruthanta tusa."

Bhreathnaigh an Captaen timpeall go tobann agus scáth neirbhíseach ina shúile.

"Ar lean éinne anseo sibh?"

"Níor lean," arsa an Scian ag caint don chéad uair. "Bhí mé an-chúramach."

Bhí Larry chun rud éigin a rá leis an Scian. Níor iarr sé air labhairt. Ach ansin bhain an Captaen geit eile as.

"Larry, an dtabharfá an gunna atá i do phóca do do chara an Scian ansin? Ba mhaith liom labhairt leat i d'aonar. Éirím neirbhíseach má bhíonn gunnaí thart."

"Cén gunna?" arsa Larry, ag ligean air nár thuig sé.

"An gunna sin a bhfuil a chruth le feiceáil i bpóca do sheaicéide," arsa an Captaen.

Ní dúirt Larry aon rud eile. Bhain sé an gunna amach

as a phóca go mall cúramach. Thóg an Scian an gunna ó Larry. Níor thug Larry faoi deara go dtí sin go raibh lámhainní éadroma dubha á gcaitheamh ag an Scian. B'ait leis sin. Ní chaitheadh an Scian lámhainní de ghnáth. Choimeád an Scian an gunna ina láimh.

"Anois, deir tú gur thug sibh aire do Willie Braine. Agus níl aon seans go gceanglóidh na Gardaí sibhse leis?" arsa an Captaen.

Bhí Larry chun labhairt ach labhair an Scian taobh thiar dó. "Bhuel, ní cheanglóidh siad mise leis ach nuair a aimsíonn na Gardaí lastóir agus peann Larry in árasán Willie b'fhéidir go mbeidh siad ag iarraidh labhairt leis."

Chas Larry ar an Scian. "Cad atá i gceist agat? Conas a bheadh mo pheann agus mo lastóir in árasán Willie?"

"Mar gur fhág mise ann iad," arsa an Scian agus meangadh ar a aghaidh.

Cheap Larry ar dtús gur ag magadh a bhí an Scian. Ach thuig sé gan mhoill nach aon mhagadh a bhí ann. Chonaic sé ansin go raibh an Scian ag díriú a ghunna féin air.

Chas Larry a cheann agus é ag iarraidh breathnú ar an Scian agus ar an gCaptaen ag an am céanna. Bhí allas ag sileadh leis anois.

"Rinne tú an iomarca botún," arsa an Captaen go fuarchúiseach. "Cheap mé go raibh tú cliste. Cheap mé go raibh an duine ceart aimsithe agam. Níor thuig mé go raibh tú dúr."

Bhreathnaigh an Captaen ar an Scian.

Ní dúirt an Scian ach, "Tá brón orm Larry."

Bhí an eagla go láidir i súile Larry anois. Bhreathnaigh sé timpeall ar an mbeirt eile a bhí tar éis teacht leo. Bhí siad siúd ag breathnú ar na faoileáin ag eitilt thuas sa spéir.

"Ní féidir le haon duine cabhrú leat anois," arsa an Captaen. "Beidh scúp eile ag an *Standard* amárach. *Lámh curtha ina bhás féin ag Larry Ryan, mangaire mór drugaí.*

Chuala Larry an gunna á scaoileadh. Thit sé ar an talamh. Ansin phléasc an domhan.

Caibidil a Sé Déag

Tosaíonn Larry Ryan ag caint leis na Gardaí. Cloiseann Carla go bhfuil Bronagh i dtrioblóid.

D'oscail Larry a shúile. Bhí an diabhal Garda seo os a chomhair le leathuair an chloig anois. Bhí sí ag lorg freagraí ar cheisteanna. Ní raibh aon rud ráite ag Larry léi fós. Ach bhí tuirse air, tuirse nach raibh a leithéid air riamh cheana. Dhún sé a shúile.

Bhí gach rud trína chéile ina cheann. Níor thuig sé an méid a bhí tarlaithe le huair an chloig. Dhún sé a shúile arís. Bhí a intinn lán le bladhmanna solais[72], maidhmeanna gránáidí[73], píléirí á scaoileadh, Gardaí ag béicíl 'Síos ar an talamh, síos ar an talamh anois', daoine á leagan chun talaimh, á chiceáil, á chuardach ag lorg gunna, á chuardach arís, ag cur glais ar a lámha agus á chaitheamh isteach i gcúl ghluaisteán Gardaí.

D'oscail sé a shúile. Agus seo í an Garda seo, de Lóndra, ag labhairt arís.

"Féach, a Larry! Tá tú i dtrioblóid mhór. Iompórtáil drugaí, dáileadh drugaí, dúnmharú Willie Braine, gunna mídhleathach i do sheilbh agus a lán eile. Mura bhfuil tu ag iarraidh an chuid eile de do shaol a chaitheamh i bpríosún cabhróidh tú linn sula mbíonn sé ródhéanach."

Dhún sé a shúile agus smaoinigh sé. Ní fhéadfadh sé

72 *flashes of light*
73 *grenade explosions*

brath ar aon duine níos mó. Rinne an cara ba mhó a bhí aige – Ian an Scian – iarracht ar é a mharú. Bhí an Captaen chun ligean dó bás a fháil. Caithfidh sé go raibh gach duine iompaithe ina choinne. Bhí an Scian marbh anois. Chonaic Larry a chorp sínte ar an talamh. Bhí trí pholl móra ina ucht agus fuil ag sileadh astu. Bhí an Captaen agus beirt chomrádaí leis go dona tinn san ospidéal. Scaoil Aonad Práinnfhreagartha[74] na nGardaí piléir leo tar éis dóibh iarracht a dhéanamh a ngunnaí a úsáid nuair a tháinig na Gardaí orthu taobh thiar den mhonarcha.

Ghabh na Gardaí an chuid is mó dá bhuíon féin ó shin. Chonaic sé roinnt acu agus iad á dtabhairt isteach sa stáisiún. Thuig sé gur thug na Gardaí fir eile as a bhuíon chuig stáisiúin eile. Sin nós a bhí ag na Gardaí. Gach seans go raibh na fir seo anois ag labhairt leis na Gardaí agus iad ag iarraidh iad féin a shábháil. Bheadh gach rud ar eolas ag na Gardaí go luath. Níor thuig sé fós conas a rug siad orthu ag an monarcha. Ba chuma.

"Cad is fiú duit iad a chosaint, nach raibh siad chun tú a mharú?" arsa Carla. "Mura ngabhaimid gach duine acu gach seans go mbainfidh siad díoltas amach ar do bhean is do pháistí."

Bhí an ceart aici. Ba chuma le Larry dá marófaí a bhean chéile. Bhí an grá eatarthu imithe le fada agus fuath tagtha ina áit. Ach ní fhéadfadh sé mairiúint dá ngortófaí a pháistí. Thosaigh Larry ag caint. Lean sé air ag caint ar feadh i bhfad. Thug sé gach eolas a bhí aige faoin scéim iompórtála drugaí do Carla. D'inis sé faoi na hiarpharamíleataigh ó thuaidh. D'inis sé faoin gceangal le Glaschú. Nuair a bhí sé réidh ag caint ní dúirt Carla aon rud ar feadh nóiméid.

74 *Emergency Response Unit*

"A Larry," ar sí ansin, "níor luaigh tú Willie Braine. Cén fáth ar mharaigh tú é?" Thosaigh Larry ag crith. Thosaigh a ghuth ag crith. "Níor mharaigh mé," ar sé. "Caithfidh tú mé a chreidiúint."

"Ní chaithfimid tú a chreidiúint," arsa Carla. "Fuaireamar do lastóir agus do pheann agus lorg do mhéar go forleathan orthu san árasán in aice le corp Willie. Tá cás sách daingean ansin."

"Ní mar sin a tharla in aon chor," arsa Larry. "Is ea, chuaigh mé féin agus an Scian chuig an árasán chun eagla a chur ar Willie, chun ceacht a mhúineadh dó. Chualamar go raibh sé ag caint leat féin cúpla uair. Ní raibh sé i gceist agam ach cúpla buille a thabhairt dó. Ach chuaigh an Scian rófhada leis. Dúirt mé leis stopadh ach níor stop sé. Bhí sé cosúil le hainmhí. Dúirt sé go múinfeadh sé ceacht do na mangairí eile i mBaile Átha Cliath agus don Chaptaen. Dúirt sé go mbeadh níos mó measa acu orm dá gceapfaidís gur mise a mharaigh Willie. Caithfidh sé gur thóg sé an peann agus an lastóir as mo chóta níos luaithe sa lá. Níor mharaigh mise aon duine riamh."

"Ach mharaigh tú. Mharaigh tú iad leis an drochhearóin sin a thug tú isteach."

"B'shin smaoineamh an Chaptaein," arsa Larry. "Dúirt sé liom go n-éireoidís tinn tar éis é a thógáil. Níor thuig mé go raibh an hearóin chun roinnt acu a mharú."

"Caithfidh an breitheamh cinneadh a dhéanamh faoi sin, is dócha," arsa Carla gan aon trua ina guth.

Níor thaitin Larry léi in aon chor. Anois ní raibh sé ach ag iarraidh a chraiceann féin a shábháil. N'fheadar cé méid bréag a bhí inste aige go dtí seo.

"Ceist amháin eile, a Larry! Cad atá ar eolas agat faoi Eileen Sheils?"

"Faic," arsa Larry, "ach gur ghoid an striapach shalach lastas drugaí uaimse agus nach bhfuil a fhios ag aon duine cá bhfuil sí."

Tháinig Colm isteach ag an nóiméad sin. "Tá do rás rite anois, a Larry," ar sé agus straois gháire ar a aghaidh. Níor thug Larry aon fhreagra air.

"Beidh suim agaibh beirt sa mhéid seo," arsa Colm. "Fuaireamar glaoch ón Oifigeach McCleish i nGlaschú. Tháinig sé ar Eileen Sheils. Bhí sí ag obair lena cara Debbie sa bhialann. Stóráil sí an hearóin sa chuisneoir sa bhialann. Is maith an rud nár úsaid an *chef* é chun *pavlova* a dhéanamh. Pé scéal é, tá sí sásta fianaise a thabhairt i gcoinne Larry. Tabharfaidh McCleish anall chugainn í amárach. Deir sé gur mhaith leis cuairt a thabhairt ar Bhaile Átha Cliath."

"An bhféadfainn focal a bheith agam leat lasmuigh?" arsa Colm le Carla ansin.

Bhí Carla an-sásta. Bhí obair mhaith déanta aici féin agus ag Colm. Bhí Eileen Sheils sábháilte. Ach a luaithe is a dhún sí an doras thuig sí go raibh rud éigin cearr.

"B'fhearr liom nach mbeadh orm é seo a rá leat anois," arsa Colm, "ach rugadh ar Bhronagh seo agatsa ag goid ó shiopaí ar Shráid Ghrafton inniu. Gabhadh í. Ní raibh an stáisiún ábalta dul i dteagmháil leat mar go raibh tú amuigh ag an monarcha. Mar sin ghlaoigh siad ar Matt agus bhailigh sé siúd í. Tá sí sa bhaile leis anois." Ní dúirt Carla aon rud. Chonaic Colm na deora ina súile. Thug sé isteach i seomra folamh agallaimh[75] í.

"An bhfuil cead agam mo thuairim a thabhairt duit?"

75 *interview room*

arsa Colm le Carla. "B'fhéidir nach dtaitneoidh sí leat?" Chlaon Carla a ceann chun a thaispeáint go raibh sí sásta.

"Maith dom é seo," arsa Colm, "ach ní dóigh liom go dtugann tú cothrom na Féinne do Matt. Is duine maith é ón méid atá feicthe agamsa. Tá a fhios agam nár oibrigh rudaí amach eadraibh. Sin é an saol. De réir mar a deir tú féin bíonn sé ar fáil aon uair a mbíonn sé ag teastáil. Is dóigh liomsa go mbraitheann Bronagh uaithi é agus sin an fáth go bhfuil sí á hiompar féin mar atá sí. Is dóigh liom gur ceart duit ligean dó ról níos mó a bheith aige i saol Bhronagh. Níl a fhios agam go cinnte cén ról é sin. Níl a fhios agam an bhfuil an rud atá i m'aigne ráite go maith agam. Diúltaíonn tú aon chreidiúint a thabhairt do Matt. Nach bhfeiceann tú an dochar atá á dhéanamh agat do Bhronagh agus duit féin chomh maith?

"Anois seo rud nár inis mé d'aon duine riamh. Rug na Gardaí ormsa ag goid ó shiopaí nuair a bhí mé óg. Ní raibh a lán cairde agam ag an am. Bhí mé uaigneach. Ní dhearna mo thuismitheoirí rud rómhór de cé gur chuir sé isteach go mór orthu. Níor luaigh siad liom é riamh ina dhiaidh sin. Ná bí ródhian ar Bhronagh faoi seo." Stop Colm ar feadh nóiméid. "Tá brón orm," ar sé, "má tá an iomarca ráite agam."

Chlúdaigh Carla a súile lena lámha. Chroith sí a ceann.

"Níl," ar sí. "Go raibh maith agat, a Choilm."

Caibidil a Seacht Déag

Téann Carla go teach Matt.

D'fhág Carla an stáisiún agus rinne sí a slí chuig an DART agus uaidh sin chuig a gluaisteán. Thiomáin sí go mall i dtreo theach Matt. Bheadh sí béasach leis. Ghabhfadh sí buíochas leis as ucht a chuid cabhrach. Bhí an ceart ag Colm – bhí Matt sásta cabhrú i gcónaí. B'fhéidir go ligfeadh sí dó Bronagh a bhailiú ó theach Rita lá amháin sa tseachtain as seo amach. Agus cad a déarfadh sí le Bronagh? Cad ba bhun leis an athrú mór a bhí tagtha uirthi? Chaithfeadh sí pionós éigin a ghearradh uirthi. Cad a déarfadh na múinteoirí ar scoil? An mbeadh a fhios acu?

Bhrúigh sí clog an dorais. D'fhreagair Matt. Bhí a shúile dearg.

"Tar isteach," ar sé go ciúin. Bhí Bronagh ina suí ar an tolg. Bhí cathaoir uilleann sa seomra chomh maith. Bhí sé soiléir go raibh sí tar éis a bheith ag gol.

"Tar isteach," arsa Matt arís. "Bhí mé féin agus Bronagh ag caint."

Shuigh Carla síos in aice le Bronagh. Ní raibh sí cinnte ar cheart di a lámha a chur timpeall uirthi. Cheap Carla go suífeadh Matt sa chathaoir uilleann ach shuigh sé síos ar an tolg in aice léi ionas go raibh sí idir é féin agus Bronagh.

"Is ea, bhíomar ag caint," arsa Matt. "Déanann gach duine botún anois is arís. Rinne Bronagh botún ach deir sí anois go bhfuil ceacht foghlamtha aici."

Bhreathnaigh Bronagh ar a máthair agus dúirt sí, "Tá brón orm, a Mhamaí." Bhí na deora ag rith léi arís.

Chuir Carla a lámh timpeall ar Bhronagh. "Éist anois," ar sí, tá sé ceart go leor."

Chas Carla a ceann agus bhreathnaigh sí ar Matt. Bhreathnaigh sí díreach isteach ina shúile don chéad uair le sé bliana. Chuimhnigh sí ansin ar an bhfáth ar thit sí i ngrá leis an chéad lá riamh. Chuir sí a lámh ar a leiceann agus chuimil lena hordóg é mar ba ghnách léi nuair a bhí siad go léir níos óige.